카산드라 뜨다 할 수 있다

카산드라 뜨다 할 수 있다 원본

카산드라는 나아가는 곳마다 자신이 뜰 수 있음을 발견했다. 어떻게 떴을까? 뜰 수 있었으니까. 동어 반복처럼 들리는가? 하지만 예언의 기술은 자주 동어반복적이다. 사람들은 순환적으로 사고한다. 예언자는 믿기지 않는 소식을 전함으로써 자신이 예언자임을 증명해야 하고, 우리는 이미 그녀를 예언자로 여기고 있을 때만 소식을 믿을 것이다. 소식이 믿기지 않는 것이 아니라면, 그녀는 그저 소식을 전하는 사람일 뿐이다. 믿기지 않는 소식이 나중에 그대로 실현된다면, 그러면 그녀는 예언자가 맞'겠'지만, 그때는 어디서나 소식을 들을 수 있을 테니 그건 중요하지 않다. 카산드라의 사례는 베일의 수수께끼다. 새로운 것의 경계는 어디인가? 믿음의 가장자리는 어디인가? 믿기지 않는 것을 정말로 믿는 것이 가능한가? 그건 어떻게 시작되는가? 문 아래 틈으로 빛이 드나? 그걸 보고 어떻게 빛이라고 알 수 있나? 이 순간까지의 우리 삶이라는 암흑 덩어리를 완전히 둘러싼 빛의 가장자리가 있나? 우리는 그 암흑 덩어리를 베일로 볼 수 있나? 우리는 그게 사라지기를 바랄 수 있나? 우리는 '얍 얍 그것이 사라졌다'라고 말할 수 있나? 카산드라는 할 수 있다.

카산드라는 누구인가? 푼돈만 내도 그녀는 수영장이 피로 가득하다고 얘기해줄 것이다. 시공간과 마찬가지로 그녀는 비선형적이고, 비서사적이고, 호메로스에 따르면 프리아모스의 딸들 가운데 가장 아름다웠으니, 예언을 위해 우뚝 선 그녀는 방공

호에 걸린 등불처럼 빛났다고 한다. 우리의 시선은 카산드라의 표면에서 튕겨나갔다가 다시 달라붙는 경향이 있다. 오래 쳐다볼수록 우리는 점점 더 뜨거운 진동수로 우리 안으로 광선을 떨구는 그녀의 빛을 보려고 더욱 맹렬하게 몸부림치게 된다. 마침내 우리는 어디서 악취가 나는 걸 알아챘다. 바로 우리 눈알의 젤라틴이다. 냄새는 별것 아니면서도 어마어마하고, 어떤 사람들은 성적으로 여기지만, 나는 아니었다. 내가 보기에는 스스로의 미래를 겪고 있는 물질의 냄새다. 과학적으로 말하자면, 시공간에 생긴 파열의 냄새다.

평생에 걸쳐 같은 페이지를 고쳐 쓰고 있는 듯한 기분이 들 때가 있다. 맨 위에 '번역에 관한 소론'이라 쓰이고 밑으로 힘있는 괜찮은 문장들이 몇 단락 이어지는 페이지다. 중간쯤에서 문장이 무너지기 시작한다. 체계가 붕괴한다. 여기저기 구멍이 생긴다. 마지막쯤에 가서는 순수한 예술 작품의 형상이 되고 싶은 듯이 가장자리 여백 근처를 돌아다니는 언어의 부스러기 몇 개 말고는 그다지 남은 것이 없다. 나에 관한 정보를 또 하나 알려주자면, 번역 작업에 관여할 때마다 나는 시선을 살짝 벗어난 곳에서 베일들이 날아오르는 듯한 느낌을 계속해서 받는다. '광휘를 뿜어내는 넓고 차가운 것이 떠올라 머리로 덤벼든다.' 나는 그 감각을 카산드라라고 부르게 되었다. 학교에서 아이스킬로스의 『아가멤논』에 나오는 한 구절, 카산드라가 "오토토토이 포포이 다(OTOTOTOI POPOI DA)!"를 외치는 구절을 읽다가 처음으로 그 감각을 느꼈기 때문이다. 그 외침은 유명하다. 외침 뒤로 300줄에 이르는 선견과 예언이 이어지고, 그 예언으로 카산드라는 자신의 죽음까지 포함하는 아트레우스 가문의 과거와

미래를 얘기한다. 예언의 중간쯤에서 그녀는 이런 대사를 내뱉는다.

보라 베일을 걷고 나선 나의 예언은 더는
새 신부처럼 힐끗거리지 않고
떠오르는 태양을 뿜어내는
광휘처럼
나의 대양들을 빛 위로 떠밀지니—
나보다 더 깊은 슬픔을.

(『아가멤논』 1178~1183절)

예언자로 사는 건 어떤 걸까? 카산드라는 나아가는 곳마다 자신이 이미 거기에 있음을 발견했다. 카산드라가 나아가는 곳마다 페이지 가장자리에서 아교가 스며 나왔고, 달라붙은 페이지 사이를 잡아 가르면, 밑에 '이' 페이지가, 내가 당신에게 카산드라가 나아가는 곳마다 자신이 뜰 수 있음을 알았다고 얘기하는 이 페이지가 있다.

내가 사안을, 카산드라가 나아가는 곳마다 이미 카산드라가 있다는 문제를 불필요하게 복잡하게 만든다고 생각할지도 모르겠다. 하지만 그녀의 여는 말이었던 "오토토토이 포포이 다!"로 돌아가 보자. 이 발화는 절규다. 번역할 수 없지만, 의미가 없지는 않다. 절규는 특정한 감정을 전달하고, 어떤 일이 일어나도록 만들 수 있다. 이 경우에 절규의 운율은 주변 구절들의 운율에 정확하게 맞춰져 있다. 영어본 번역에서는 그런 발화들이 'Alas(아아)!'라는 단어로 옮겨지는 경우가 많다. 번역자는 'Alas!'가 부적당해 보였으리라. 그래서 내가 '오토토토이 포포이 다'라고 말했을 때와 마찬가지로, 그게 더 순수하고 진실하다는 판단을 근거로 이 절규의 그리스어 철자들을 영어의 소리로 음역하자고 결정했으리라. 그게 더 순수하고 진실할까? 그 전에 이런 질문도 가능할 것이다. 카산드라가 그리스어로 말하다니, 대체 무슨 일이지? 무엇보다 그녀는 한 번도 집을 떠나본 적이 없는 트로이의 공주다. 요즘 우리는 연극의 논리에 이런 종류의 질문을 던지는 것을 대체로 자제한다. 우리는 사실 앞으로 삼십 분 동안 카산드라가 고대 트로이 언어로 얘기하는 걸 듣고 싶지 않은 데다, 그렇게 해도 아무 문제 없게 해주는 '불신의 자발적 유예'라는 극작의 관습이 있기 때문이다. 하지만 이 희곡에서 아이스킬로스는 이미 관습을 깨뜨렸다. 270줄 분량의 대사가 오가는 동안 카산드라를 말없이 무대에 세워둔 후에 이 장면을 시작하기 때문이다. 오래 침묵을 지키고 있던 카산드라에게 클리템네스트라가 소리친다. "넌 뭐가 문제야, 그리스어 할 줄 몰라?" 아이스킬로스는 우리가 카산드라의 마음속에서 날아오르는 베일을 보기를, 트로이적 감정의 더없이 깊은 상처를 운율적으로 완벽한 그리스 비극 구절로 번역하는 그녀가 어떤 단계의 그녀인지, 그 번역이 예언의 기술과 어떤 관계에 있는지 궁금해하기를 바란다. 두 경우 모두에 표면을 가르고 그 밑에 있을 이유가 없는 어떤 장소를 드러내는 모종의 행위가 있기 때문이다. 과거의 밑에서 미래는 무엇을 하고 있는가? 아니면 트로이적 침묵 밑에서 그리스적 작시법은? 그리고 그것은 어떻게 우리를 바꿔 그것이 거기 떠 있음을 보게 하고 그것이 어떻게 뜰 수 있는지를 알게 하는가?

나는 상황을 돌파하는 사람에게 흥미가 있다. 아이스킬로스의 『아가멤논』이 '1900년의 케임브리지 그리스 비극'으로 선정되어 영국 케임브리지대학에서 공연될 때, J. F. 크레이스라는 젊은 남성이 카산드라 배역을 맡았다. 그 시대에 카산드라 역을 연기한 다른 젊은 배우들이 그랬듯이 그도 무대에서 카산드라의 긴 대사를 할 때는 목소리가 갈라지도록 두는 게 좋다는 조언을 들었을 것이다. 그때는 그것이 대사 전달에 통렬함을 더하면서 예언자가 한계까지 고조되는 정황을 보여준다고 여겨졌다.

금, 틈, 균열, 구멍, 파열, 어원들. 내가 좋아하는 걸 또 하나 알려주겠다. 카산드라와는 아무 관련이 없는 것이다(우리는 카산드라와 떨어져 좀 쉴 필요가 있다).

철학자 친구가 알려주었다. 1859년에 태어나 1938년까지 살면서 생전에 열두 권가량의 책을 쓴 현상학자 에드문트 후설이 무려 3만 쪽에 이르는 미발표 원고를 남겼다고. 그것도 속기로 쓴 원고였다. 바이에른어 속기로 쓴 3만 쪽 원고라니, 생각만 해도 경이로웠다. 후설은 왜 그렇게 빨리 쓰고 싶었을까? 어떤 사고가 그리 급했기에 평소의 개념적이고 통사적인 일련의 개념 형성 과정을 거치도록 놔두는 대신 신경 시냅스에 떠오르는 족족 곧바로 갈겨써야 했을까? 후설이 교란하거나 돌파하고자 한 평소의 사고 과정은 정확하게 무엇일까? 후설이 현상학자이기 이전에 수학자였다는 사실이 관련 있을 것이다. 수학과 속기는 상대적으로 큰 의미 조각을 상대적으로 작은 흔적으로 축소하거나 추상화하려는 의도를 공유한다. 하지만 수학은 급하게 행해지지 않는다. 우리는 수학 방정식을 순간적으로 발생하는 어떤 것이 아니라 오랜 질문과 숙고의 과정 끝에 생기는 것으로 여긴다. 반대로 속기란 발화의 속도로 글을 알아볼 만하게 기록하게 해주는 기록 체

계다. 발화의 속도는 무엇인가? 발화의 속도는 머릿속에서 사고가 움직이는 속도에 달려 있다. 하지만 우리는 다들 대체로 생각이 더 빨리 움직인다는 사실을, 생각이 발화와는 다른 방식으로 움직인다는 것을 느낌으로 안다. 발화는 이미 일종의 속기다. 하지만 여기서 다시, 발화는 글로 적히는 문장보다 빨리 움직이고, 발화는 글로 적히는 문장과는 다른 방식으로 움직인다. 베일 위에 베일 위에 베일이 있는 것 같다. 본래의 표면은 어디인가? 우리가 낭만주의자라면, 일부는 아마 낭만주의자겠지만, 우리 마음속에서 생각이 내적 발화 같은 것으로, 구절이나 문장으로, 어떤 의미 전달의 질서로 형성되기 한두 박자 전에, 더 앞선, 더 거친, 더 뭉쳐진, 더 연약한, 더 풍부한 무언가가 있다고 상상하리라. 이슬이나 선사시대 그림 부스러기처럼 공기 중에 노출되자마자 말라 사라져버릴 무언가, 문장에 비하면 여전히 야생적인 무언가가 말이다. 후설은 이런 것의 가장자리를 종이에 눌러 흔적을 남기고 싶었다. 그 흔적들을 가지고 나중에 무엇을 할 계획이었을까? 무슨 계획이었든, 3만 쪽 원고는 그가 계획을 실행하지 못했음을 증언한다. 아니면 그는 아무 계획 없이 그저 사물과 쓰임의 관계를 끊어내어 사물이 저마다의 존재 속으로 사라질 수 있도록 해주고 싶었는지도 모른다.

고든 마타클라크(Gordon Matta-Clark, GMC)라는 예술가가 있었다. 1943년 뉴욕시에서 태어나 1978년에 너무 이른 죽음을 맞기 전까지 50점 이상의 작품을 완성했다. 지금 남아 있는 GMC의 작품은 하나도 없다. 작품들이 어땠는지 알아보려면 기록된 사진들을 찾아보거나 작품을 직접 본 사람들에게 물어봐야 한다. GMC가 즐겨 한 일은 무언가를, 대개는 커다란 무언가를 자르는 일이었다. 그는 1974년 뉴저지주에서 어느 집을 반으로 쪼갰다. 1977년에는 파리에 있는 어느 오피스텔 건물의 벽과 바닥과 천장을 동그랗게 또는 보트 모양으로 뚫어 거대한 구멍을 냈다. 1978년에는 시카고의 어느 주상복합건물 바닥과 천장과 지붕을 대각선으로 관통하며 둥그렇게 잘라낸 문양을 만들었다. 그는 철거가 예정된 이런 구조물들을 찾아내 허가를 받은 다음 파괴 과정에 개입하여 변형을 가했고, 그가 작업을 마친 뒤에 구조물들은 정해진 소멸 과정으로 돌아갔다. 가장 잘 알려진 작품은 허가 없이 개입한 작품이다. 1975년 뉴욕시 부둣가 주변을 배회하던 그는 방치된 어느 부두를 보고 마음을 뺏겼다. 그는 52번 부두에 몰래 들어가 두 달 동안 선창 건물의 골진 강판에 길이가 6~9미터, 폭이 5미터쯤 되는 이런저런 구멍을 냈다. 파이 모양, 낫 모양, 타원 모양의 구멍들. 바닥에도 구멍을 뚫어 아래에 있는 바닷물이 보이도록 했다. 그는 이런 구멍들에 관해 다양한 이야기를 했다. 그는 빛이 살아서 바닥을 통과하는 것이 좋았다. 그는 한 일 년쯤 가만히 앉아서 빛의 경로를 지켜보면 어떻게 될까 궁금해했다. 그는 부피를 가시화하고자 했다. 그는 그 안에서 반짝이는 허드슨강을 보고 싶었다. 그는 그저 구멍을 만듦으로써 건물의 응축된 힘을 '해방' 하는 것에 관해 얘기했다. 그는 공간을 '맛볼' 수 있는 어떤 것으로 '재번역'하기를 바랐다. 이내 경찰이 52번 부두에서 진행 중인 재번역 작업을 알아차렸다. 현장은 압류되고, 건물은 폐쇄되었으며, 당시 외국에 있던 GMC는 고발되었다. GMC가 '하루의 끝(Day's End)'이라고 제목을 붙인 그 작품을 보러 부두로 몰래 들어가는 사람들이 줄을 이었다. 작품은 곧 뉴욕시 경제개발위원회에 의해 철거되었다.

삼 년 후 GMC가 사망할 즈음에 52번 부두는 '눈부시고 위태로운 대성당'(토머스 크로, 『일반적인 문화에서의 현대미술』)이자 '행동 건축'이라는 혁명적인 새 장르의 사례(도널드 윌, 『아트 매거진』 1976년 5월호)로 비평가들의 입에 오르내리고 있었다. 예언자들도 마찬가지다. 우리는 그들이 뜨는 것을, 그들이 어떻게 뜨는지를, 그들이 어떻게 뜰 수 있는지를 본다.

GMC는 자기 기획을 건축을 뜻하는 아키텍처(architecture)라 부르지 않았다. 그는 '언아키텍처(an-architecture)'라는 단어를 새로 고안했다. 어원학적으로 근사한 단어다. 접두사 'an'을 부정(不定)관사로 해석하면, 이 단어는 그의 작품이 가능한 수많은 건축 중 하나임을 의미하게 된다. 'an'을 부정(否定)의 뜻을 나타내는 접두사로 해석하면, 그의 작품은 건축이 주장하는 건축에 대한 안티테제 또는 해독제가 된다. 그는 말했다. "나는 그냥 들어가서 바꾸고 싶다." 모든 변경은 해석적이다. 그는 절단에 착수하기 전에 몇 달에 걸쳐 건물을 연구했다. 절단은 그가 해당 건물의 '기호적 체계'라 부르는 것에 대한 정확한 지식에 기초했다. 그의 방식은 안에 있는 것이 보일 때까지 표면을 잘라 없애는 것이었다. 그는 건물을 건물 자체의 추상으로 만들었다. 아름다움을 창조하기 위해서라기보다는 정보를 얻기 위해서였다. 그는 자신이 하는 절단을 '탐색'이라고 말했다. 그는 '얇은 가장자리'라고 이름 붙인 어떤 것을 탐색하고 있었다. 1974년 어느 인터뷰에서는 이런 얘기를 했다. "… 만들어진 건물의 면(面)들 못지않게 보이는 것의 얇은 가장자리 같은 것이 흥미를 끈다."(리자 베어, 『사태(Avalanche)』 1974년 12월호) 여기서 잠시 '어원(etymology)'이라는 단어의 어원을 생각해보자. 이 단어는 '진짜의, 참된, 실질적인'을 뜻하는 형용사 '에티모스(etymos)'와 '이야기, 설명, 분석'을 의미하는 기본 명사 '로고스(logos)'에서 기원한다. 하지만 그에 이어서 에티모스에도 어원이 있으니, '이다, 있다'라는 뜻의 동사 '에이나이(einai)'에서 연유된 듯하다(『리들-스콧-존스 희랍어-영어 어휘사전』). 그러니 어원(etymology)은 그 안에 '이다-임(is-ness)'을 가지고 있기에 단어의 진짜 의미를 준다고 생각될 수 있다. 어원학자는 절단을 통해 사물의 내부에 떠 있는 상태로서의 존재를, 그것이 어떻게 떠 있는지를, 그것이 어떻게 뜰 수 있는지를 보여준다.

다시 카산드라로 돌아가보자. 아이스킬로스의 『아가멤논』에서 그녀가 예언하는 중요한 장면은 앞에서 이미 얘기했듯이 "오토토토이 포포이 다!"라는 절규로 시작한다. 절규 뒤에 그녀는 아폴론을 여섯 번 호명하고, 다시 일곱 번째로 호명하는데, 이 일곱 번째에서는 음조를 살짝 변형하여 그 이름의 어원을 보여준다. 아폴론의 이름은 '말살하다, 죽이다, 살육하다, 파괴하다, 초토화하다'라는 뜻을 가진 희랍어 동사 '아폴레스타이(apollesthai)'와 기원이 같다. '아폴론 에모스(Apollon emos)'라고 외침으로써, 카산드라는 같은 말로 신을 '나의 아폴론'이라 호명하는 동시에 '나의 파괴자'로 명시할 수 있다.

말이 베일이라면, 무엇을 숨기는 걸까? 선창 건물을 십 초나 두 달, 또는 일 년 동안 대성당으로 보는 것이, 치유와 진실의 신인 아폴론을 흉악한 말장난으로 보는 것이 어떤 차이를 만들까? 나는 그저 우연히 고등학교 때 심심했던 나머지 점심시간을 이

용해 내게 사포의 시를 읽히겠다고 마음먹은 라틴어 선생님에게서 그리스어를 배웠을 뿐이다. 고전학자로서의 내 경력 전체가 어떻게 보면 '점심''이라는 단어의 터무니없는 어원이다. 클리템네스트라가 카산드라에게 "넌 뭐가 문제야, 그리스어 할줄 몰라?"라고 소리치자 카산드라는 절규와 어원과 예언적 선견으로 대답한다. 그녀는 그리스어를안다는 것이 무엇인가에 대한 우리의 관념에 구멍을 낸다. 그녀가 벽과 바닥을 제거하면 우리는 갑자기 철거 예정지에 서게 된다. 단지 그녀의 육신만이아닌, 단지 트로이라는 도시만이 아닌, 단지 아트레우스 가문만이 아닌, 그러한 것들의 진실을 아는 우리의 모든 방식, 모든 질문과 답에 다가가는 우리의 수기적(手記的) 접근, 고전학자 또는 건축가 또는 예언자 또는 뭐가 됐든 우리의 모든 직업, 우리가 뜨는 방식, 우리가 뜨는 법, 우리가 뜨는 능력인그 장소에. 카산드라는 할 수 있다.

GMC에게는 평생 정신이 불안정했던 쌍둥이 형이있었는데, 1976년에 고든의 작업실 창문으로 뛰어내려 사망했다. 나도 오빠가 있었으므로, 아마 내게는 남자 형제들을 과도하게 인과적 측면에서 보는 경향이 있을 것이다. 그러니 인과율은 제쳐놓더라도, 늘 정신이 불안정한 형제가 있다는 사실이 구멍과 틈과 파열을 특히 민감하게 알아차리게 만드는 건 아닐까. 아무런 가장자리도 예정돼 있지 않은 곳에 나타나는 얇은 가장자리가 있다. 거기서 얼마나 돌연한 양의 정보가 풀려나오는가, 이 얼마나대경실색할 양의 공포와 연민인가. 형이 죽은 뒤에 GMC는 파리에 있는 어느 미술관에 형을 추모하는작품을 만들었다. 그는 미술관 지하 바닥에 커다란구덩이를 파고 한쪽 면에 밑으로 내려가는 얕은 계단을 새겼다. 지상층을 오가는 행인들은 미술관 바닥에 난 구멍을 통해 미술관에서 내려준 전구 불빛에 의지해 작업하는 그를 볼 수 있었다. 계단이 완성되자 구덩이는 다시 메워졌다. 지금은 GMC가 땅을 파는 장면을 찍은 폴라로이드 사진 몇 장을 제외하면 아무 흔적도 남아 있지 않다.

아이스킬로스의 『아가멤논』에 나오는 카산드라의 마지막 말은 연민에 관한 것이다. 다음은 희곡에서 그녀가 죽음을 향해 무대 뒤로 사라지기 직전 장면인 1327~1330절 대사를 옮긴 세 가지 번역본이다.

(1)
아아 인간의 운명이여! 운이 좋아도 그림자 하나가
뒤집어버릴 수 있지.
운이 나빠지면 젖은 스펀지 하나가 그림 전체를
지워버리는구나.
이것이 나는 제일 불쌍하구나.

(2)
하지만 너 오 인간이여
그림자 하나로도 충분히
스펀지 하나로도 너를 지울 수 있나니
거의 뜨지 않는 너 뜨는 법과 뜨는 능력의
너
나 너를 불쌍히 여기노라
．．．．．．．．
카산드라 퇴장한다.

(3)
장소가 헐리고 제거된다.

카산드라 뜨다 할 수 있다

생일본

뜨기 기술은 어떤 만약이 만약하지 않는지
입증한다.

그 여자 피난처 수면에서 헤엄치기 고투하는 것은
거대한 틈.

그리스어 베일들이 다른 베일을 열다.

푼돈 더 빨리 무엇이든 멀리 드러나고 튕기다
울림들.

그녀는 번득임 고쳐쓰기의 눈알인가?

그녀에게 침묵하는 장소가 있듯이 옮겨진
영어는 불신의 거처인가?

아니면 그것은
깊은 불꽃을
움직인다.

그리고 이들 후설은 그의 후설을
재빨리 종이로.

불쌍한 폴라로이드 사진들.

카산드라 뜨다 할 수 있다
최종본

만약
거대한
베일들이
침묵을
옆으로
튕겨내면
절규하는
저
어원들
뜬다
그러다
점심
파산하고
아아
그냥
퇴장
!

밝음이 떠오르는 것을 내뿜듯이
그리고 견뎌라, 그들의 영광이여, 노려보라
— 아이스킬로스, 『아가멤논』 1180~1183절[2]